hup naar huis

Rindert Kromhout
Tekeningen van Jan Jutte

z Zwijsen

AVI 1

© 1992 Tekst: Rindert Kromhout
© 1992 Tekeningen: Jan Jutte
© 2006 Uitgeverij Zwijsen B.V. Tilburg
Vormgeving: Rob Galema

15ᵉ druk
*(hup naar huis verscheen voor het eerst in 1992 in de
kinderboekenserie Ster van Uitgeverij Zwijsen Algemeen B.V.)*

NUR 287
ISBN 90.276. 6440.4

Voor België: Zwijsen-Infoboek, Meerhout
D/2006/1919/159

sien

de school gaat uit.
„dag juf," zegt wim.
„dag wim," zegt juf.
maar wim is al weg.
hij wil hup naar huis.
dat moet van mam.
„om vier uur hup naar huis," zei ze.
„dan geef ik je taart."
daar gaat hij, op weg naar huis.
maar...

om de hoek is de tuin van sien.
wat is er met die tuin?
hij ziet er niet uit!
waar een boom was is een gat.
waar een roos was is een gat.
in de tuin is sien.
ze heeft een schep.

„wat ben je aan het doen?" zegt wim.
„ik zoek een schat," zegt sien.
„ligt er een schat in je tuin?"
„ik hoop van wel," zegt sien.
„diep in de tuin.
ik zoek al een poos."
„dat zie ik," zegt wim.
„mag dat wel?"
„heus wel," zegt sien.
„mijn pap..."
„zeg wat is dat daar!

wat doe je in mijn tuin?"
er komt een man aan.
hij ziet er woest uit.
„dag pap," zegt sien.
„ik zoek een schat."
„een schat?" zegt de man.
„er is geen schat in de tuin.
kijk nou!
mijn boom en mijn roos!
mijn tuin!
je weet dat dat niet mag."
„maar ik zoek een schat," zegt sien weer.
„ruim die boel op," zegt de man.
„maar pap..."
„ruim op of ik geef je een tik."

ik wil geen tik," zegt sien.
„ik zal maar doen wat hij zegt."
„geef me een schep," zegt wim.
„dan ruim ik ook wat op."
„wat lief van je," zegt sien.
„je bent een schat.
wat zeg ik nou?
een schat!
zie je nou!
er is wel een schat.
en nog in de tuin ook.
jij bent het!
jij bent mijn schat, wim.
kom hier, dan geef ik je een zoen."
sien komt op wim af.
„een zoen?" zegt wim.
„moet dat?"
„ja, dat hoort bij een schat."
„nou, één dan," zegt wim.
„en geef dan die schep maar.
ik moet naar huis.
daar is taart."

door

daar gaat wim weer.
sien heeft haar schat.
dus kan wim hup naar huis.
maar...

kijk wie daar zijn!
bep en bas en ben!
en daar is door.
ze zit op een hek en huilt.
wim gaat naar haar toe.
„wat is er?" vraagt hij.

„ik mag niet mee doen," zegt door.
„ze doen dik tik.
wie dik is mag mee doen.
wie dun is niet.
die rent zoef door de tuin.
zoef, tik, jij bent hem!
wie dik is kan dat niet.
dus mag ik niet mee doen.
ik ben te dun, ik win van ze."

9

„ik weet wat," zegt wim.
„doe de jas van ben aan.
en ook die van bep en bas."
door doet wat wim zegt.
ze doet een jas aan.
en nog een en nog een.
en kijk, ze lijkt heel dik!
„zie je dat," zegt ze.
„ik ben ook dik.
ik doe mee met dik tik."

maar bas zegt: „nee hoor.
jij bent niet dik."
„maar ik lijk wel dik," zegt door.
„en ik ren niet meer door de tuin.
zoef, tik, jij bent hem.
dat gaat niet meer, kijk maar."
„doe dan maar mee," zegt bas.
„fijn!" zegt door.
„doe jij ook mee?"
„nee, ik moet naar huis," zegt wim.
„daar is taart."

koos en daan

daar gaat wim weer.
sien heeft haar schat.
door is dik.
dus kan wim hup naar huis.
maar...

in de weg is een kuil.
in die kuil zit koos.
wat doet koos in een kuil?
„dag koos," zegt wim.
„is het leuk in die kuil?"
„nee!" zegt koos.
„het is hier laag.
ik hou niet van laag.
je ziet hier geen moer.
ik wil hoog."

„kom die kuil dan uit," zegt wim.
„dat kan niet," zegt koos.
„dan pikt daan hem in.
en het is mijn kuil.
daan mag er niet in."
„wie is daan?" zegt wim.
koos wijst naar een boom.

hoog in de boom zit een man.
„dag daan!" roept wim.
„is het leuk in die boom?"
„nee!" zegt daan.
„het is hier hoog.
ik hou niet van hoog.
je ziet hier veel te veel.
ik wil laag."
„kom die boom dan uit," zegt wim.
„dat kan niet," zegt daan.
„dan pikt koos hem in.
en het is mijn boom."

wim kijkt naar koos.
en hij kijkt naar daan.
hij zegt: „ruil dan.
daan leent zijn boom aan koos.
dan zit koos hoog.”
„koos in mijn boom?” zegt daan.
„nee hoor, dat doe ik niet.”
„maar jij mag in zijn kuil,” zegt wim.
„dan zit jij laag.”
„daan in mijn kuil?” zegt koos.

„dan gaat hij er niet meer uit."
„vast wel," zegt wim.
„hij komt er heus weer uit.
dan geeft hij jou je kuil weer.
en dan mag hij zijn boom weer."
„hm," zegt koos.
hij komt zijn kuil uit.
en daan gaat er in.
„dit is fijn laag," zegt hij.
koos gaat de boom in.
„dit is fijn hoog," zegt hij.
„maar het is mijn kuil!" roept hij.
„en het is mijn boom!" roept daan.
„kom je ook in de kuil, wim?"
„nee, ik moet naar huis," zegt wim.
„daar is taart."

mam

sien heeft haar schat.
door is dik.
koos zit hoog en daan zit laag.
dus kan wim hup naar huis.
maar...

bij zijn huis is mam.
ze kijkt boos.
„waar was je nou?" zegt ze.
„wat zei ik nou?
om vier uur hup naar huis.
ik zit hier al een uur."
„ja maar mam," zegt wim.
„ik wou het ook.
ik wou heus hup naar huis.
maar het kon niet.
dat komt niet door mij.
dat komt door sien en daan.
en door koos en door.
kom maar mee.
dan laat ik het je zien."

wim rent naar de kuil van koos.

„kijk maar mam," zegt hij.

„hier is daan."

maar de kuil is leeg.

„ik zie geen daan," zegt mam.

„kijk dan naar die boom, mam.

daar zit koos."

maar ook de boom is leeg.

„ik zie geen koos," zegt mam.

„jok jij, wim?"

„heus niet mam," zegt wim.

hij holt naar de laan van door.

„kijk maar mam," zegt hij.

„hier is door."

maar de laan is leeg.

„ik zie geen door," zegt mam.

„jok jij, wim?"

„heus niet mam," zegt wim.

hij gaat naar de tuin van sien.

„kijk maar mam," zegt wim.

maar de tuin is leeg.

„ik zie geen sien," zegt mam.

„jok jij, wim?"
„heus, heus, heus niet mam," zegt wim.

„hm," zegt mam.
„ik ben boos op je, wim.
ik zei: hup naar huis.
en wat doe jij?
je komt pas om vijf uur.
en je jokt.
ik geef je geen taart, wim.
je bent niet lief."

taart

sip loopt wim het huis in.
maar kijk nou!
dáár zijn ze!
sien en koos, door en daan.
wat doen ze in zijn huis?
„mam!" roept wim.
„mam, hier zijn ze!
zie je nou dat ik niet jok."
mam komt het huis in.
ze kijkt en zegt: „ik zie het.
daar zijn ze.
was jij in je tuin, sien?"
„op zoek naar een schat," zegt sien.
„en zat jij in een kuil, daan?"
„fijn laag," zegt daan.

mam kijkt wim aan.
„wat je zei was waar.
ik zal niet meer boos zijn.
wil je taart?”
„de taart is op,” zegt door.
„wim zei dat hier taart was,” zegt daan.
„en daar zijn wij dol op,” zegt sien.
„zei je dat, wim?” zegt mam.
„ik zei dat wel,” zegt wim.
„maar het was taart voor mij.
niet voor die vier.”
„dat zei je er niet bij,” zegt koos.

„nou zeg!” roept mam uit.
wim kijkt sip.
maar mam zegt: „weet je wim.
de taart hier is op.
maar zie je die doos daar?
kijk, daar op de kast.
pak hem maar.
kijk maar wat er in zit.”
en wim pakt de doos...